マジシャンGOの
ウケる!
「運命マジック」
タネあかします

（その辺にあるものでダイジョブです）

これが
運命です!

エンターテインメント

みなさんコンニチハ！ **マジシャンGO**です。
僕の名前は？ 1、2、3、4……そう、GO（呉）です。

僕がマジック大好きになったのは、小学生のときにお母さんに買ってもらった
マジックセットがきっかけです。
練習して、次の日すぐに学校の友達に見せました。そのときのみんなのビックリした顔は、
今でも忘れることができません。

それから僕は、みるみるマジックにハマっていきました。

マジックには、3つのレベルがあります。
まずは「不思議」、その次が「おもしろい」、そしてさらにその上が「感動」!!

僕はみなさんを「感動」させたくて、いつも頑張って練習しています。

マジックは基本、タネをあかすことはできません。夢が壊れてしまうから。
でも今回は、まずはみなさんにマジックの「不思議」を楽しんでもらえたらと思い、
30種類のタネをあかすことにしました。

ここでご紹介したマジックは、簡単なものなら、2～3回練習すればできるようになるはず！
覚えたらすぐに友達や家族に見せて、「不思議」な気分にさせちゃいましょう。

まわりの人の「不思議」な顔が見られたら、キミもマジシャンの仲間入り。
全世界のマジシャンは友達です。ぜひ僕とも友達になってクダサイね！

これが
運命です！
決めゼリフもエンターテインメント!!

マジックはみんなが楽しめる

マジシャンGOの
マジック3か条

❶ マジックは不思議

あるはずのものがなくなったり、突然現れたり。マジックは不思議の連続です。タネが見破られてしまったらダイナシ！　鏡の前で何度か練習して。友達の「なんでだろう？」という顔が見られたら、うれしいデス！

❷ マジックはストーリー

どんなマジックでも、映画と同じようにひとつのストーリーを作るのが理想。そのためにはセリフや表情など、演技力も大切デス。友達の様子を見ながら、みんなが笑顔になれるようなストーリーを考えてネ。

❸ マジックは生きること

マジックは練習すればするほど、うまくなっていきます。一度自転車に乗れるようになったら一生乗れるように、マジックの腕も一生モノ。今鍛えたその腕前が、役に立つ日がきっといつかくるハズだよ！

CONTENTS

マジシャンGOの
ウケる！
「運命マジック」
タネあかします

タネあかします

タネあかします

この本の見方

本書はマジックの内容をマンガで紹介したあとに、
タネあかしを解説しています。

レベル
マジックの難易度を3段階で表示。星の数が多いほど難しいよ。

タイトル
マジックのタイトルです。このタイトルを見るだけで、どこがマジックのポイントなのかもわかります。

マジック動画
ここからスマホなどで、このマジックの動画をすぐに見ることができますよ。

運命ポイント
マジックのタネあかしに最も大きく関わる大事なポイントです。

内容
マジックの内容は、マンガでご紹介。参考にしながら、自分なりのストーリーを考えてね。

詳しいタネあかし
マジックのやり方を写真で詳しく解説しています。ちょっとしたコツやポイントも書いてあるので、チェックしてね！

用意するもの
そのマジックをするために、そろえないといけないアイテムです。

道具
タネを仕込むときに必要な道具です。

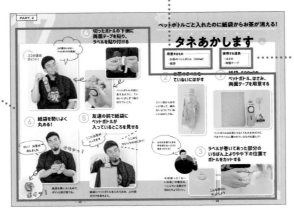

身近なもので
お手軽マジック

ティッシュや紙コップ、輪ゴム、お金など、身近にあるアイテムで
できるマジックをご紹介。あらかじめタネを仕込む必要が
ほとんどないので、思い立ったらすぐに見せることができるよ！

て親指が上に!?

このマジックの
動画はこちら

う。あくまでもさりげなく声をかけるのがコツ。演技力が試されるマジックです。

運命ポイントはココでした！

友達の注意をそらしてから、腕をひねって親指を上にできるように手を組み替えていた！

ひねられない はずなのに……

アレレ？

腕をひねっ

友達に声をかけながら、いっしょにやってびっくりさ

親指を上にします

はいっ

クッて

ルッ

え〜、無理〜！！

なんで〜？

これが運命です！

ひねられないはずなのに腕をひねって親指が上に !?

タネあかします

① 友達と一緒に 前にならえのポーズ

まずは両手を前に出します。手は肩と同じ高さにしてくださいね！

せーの！

まずは「一緒にやろう」と、友達に声をかけマス！

声をかけながら、友達にも自分と一緒に両手を前に出してもらう。

② 手のひらを 外側に向ける

くるん！

友達といっしょに、手のひらが外側に向くように腕を回転させる。

③ 両手をしっかり組む

友達といっしょに、そのまま両手をしっかり組む。

U1

④ 友達に「腕は肩の高さに してね」と声をかける

⑤ 戻すときにすばやく 右手の組み方を変える

ココが運命 ポイント！

友達の肩や腕を さりげなくポンポ ンと触って、気を そらそう。

親指が上になる ように腕をねじれ るよう、右手の向 きを変えて、組 み変えよう。

こうなってる！

友達が「肩の高さと同 じって!?」と、とまどっ ている間に右手の組 み方を変えマス！

⑥ 「せーの！」で親指を 上にして見せちゃおう！

アレ？ アレレ？

すばやく親指が上になるよ う腕をねじろう。できない 友達はびっくりするはず！

首をすり抜ける！

このマジックの動画はこちら

レベル ★ ★ ★

首から抜ける不思議なマジック。巻くときに、すばやくロープを折り返して隠してね。

02

巻きつけて 引っ張ると……

なぜ？ **ロープカ**

巻いたロープを引っ張ると、ふつうは首が締まるけど、な

※やり方を間違えると大変危険なので、必ず次ページのタネあかしのとおりに実践してください。

運命ポイントはココでした！

ロープを首に巻きつけるのではなく途中で折り返して重ねていた！

巻きつけて引っ張るとロープが首をすり抜ける！

タネあかします

用意するもの
・ロープ

※やり方を間違えると大変危険なので、必ず
タネあかしのとおりに実践してください。

① ロープを首にかける

こっちは短く

こっちは
長く

まずはロープを首にかける。このとき、
利き手（右利きの場合は右）のほうを
30cm ほど長くする。

② 長いほうのロープを
つまんで引き上げる

このあたりを
持ちますヨ〜

長いほうを左手でつ
まみ、首の横まで持
ち上げる。同時に短
いほうを右手でつま
み、頭の上を通して
首の後ろに回す。

ロープがないときは
ビニールひもでもOKデス！
長さは1mくらいが
ちょうどいい！

**③ 前から見ると
首にぐるっとロープが
巻きついているように！**

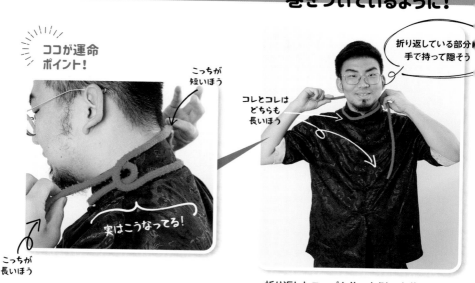

ココが運命
ポイント！

こっちが
短いほう

コレとコレは
どちらも
長いほう

折り返している部分
手で持って隠そう

実はこうなってる！

こっちが
長いほう

折り返したロープを首の左側で交差させる。

**④ ロープを引っ張ると……
すり抜けた！**

じゃじゃ〜ん！

「ロープを引っ張った
ら苦しいだろうな〜」
「いくよー！」など盛
り上げながら、ロー
プを思いっ切り引っ
張っちゃおう。

えっ
どうなってるの!?

| 17 |

このマジックの
動画はこちら

をズバリ当てる

かの8枚には違う食べ物の名前を書いてもらおう。正解がすぐにわかります。

03

びっくり！ ビリビリに 破った紙で……

好きなもの

ちぎった紙を友達に配って、1枚に好きな食べ物の名前

運命ポイントは
ココでした！

四辺がすべて
ビリビリに破れている
真ん中の紙を
渡していた！

あっ

ピンと
きました!!

ずばり
ラーメン
ですね!!

えーなんで
分かったの!?

!?

運命です

ラーメン

ビリビリに破った紙で好きなものをズバリ当てる！
タネあかします

① コピー用紙を
用意する

何も書かれていない紙を準備する。

② 9等分に
折り目をつける

3つに折って

さらに
3つに折って

開くと9等分に！

③ 折り目に合わせて 手で9つにちぎる

ココが運命
ポイント！

むしろビリビリな
ほうがいいヨ！

この紙だけ
四辺すべてが
ビリビリ

キレイに切らなくても大丈夫！

ここが
まっすぐ

注目

ここがまっすぐ

実際にマジックを見せると
きは、切りながらさりげなく
重ねていって、タネがわか
らないようにしてね

④ 真ん中の四辺がビリビリな紙を いちばんはじめに相手に渡す

これに好きな
食べ物を書いて

友達が好きな食べ物を
書き終わったら、「その
ほかの食べ物を書いて」
と伝えながら残りの紙を
渡そう。

のを予言できる！

このマジックの
動画はこちら

おう。予言カードを取り出すと……！　どのポケットに入れたか覚えておくのがカギです。

04

ビビビッ！

4つの中から　どれにする!?

友達が選ふ

テーブルの上に4つのアイテムを並べ、友達に1つ選んで

運命ポイントは
ココでした！

4つの予言を
あらかじめ
別のポケットに
入れていた！

タネあかします

用意するもの

- ・予言カード（4枚）
- ・ペン
- ・スマホ
- ・お金
- ・指輪

① 4枚の予言カードに予言を書いておく

あらかじめ4枚に、違う予言を書いておく。

② 異なるポケット4つに予言カードを入れる

ココが運命ポイント！

後ろの左ポケットには「指輪」のカードを入れました！

後ろの左ポケット

これで準備完了！

前の右ポケット

前の左ポケット

前の左ポケットには「お金」、右ポケットには「携帯」と書かれた予言カードを入れておく。

入れた場所をきちんと覚えておきますヨ！

04

③ 4つのアイテムを机に並べ 友達にどれか1つ選んでもらう

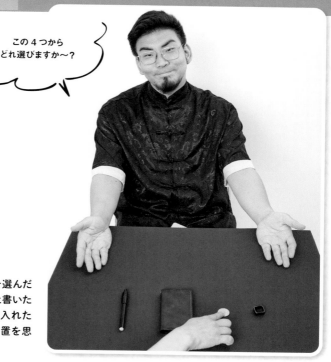

この4つから
どれ選びますか～?

友達がお金を選んだ
ら、「お金」と書いた
予言カードを入れた
ポケットの位置を思
い出そう。

④ 選んだアイテムを書いた 予言カードをポケットから取り出す

えーー!!

あなたが選ぶもの
実は決まってました!

「実はあなたが選ぶも
のは、最初から決まっ
てました……これが運
命です!」と決めゼリ
フを言えば、絶対に盛
り上がる!

一瞬で元に戻る!

このマジックの動画はこちら

一瞬で元どおり。人差し指と中指をすばやく入れ替えるのがポイントです。

05

指からはずした はずなのに……

ポン！ 指輪が

人差し指にはめた指輪。もう片方の手の中にあるはずだ

運命ポイントは
ココでした！

実は何も
つけていない
中指を見せて
いただけだった！

ポン

え、！？

何が起きた？

これが運命です♡

ピックッ！！

今

指からはずしたはずなのに指輪が一瞬で元に戻る!

タネあかします

用意するもの
・指輪

① 人差し指に指輪をはめ友達に見せる

たしかにはまっていることをアピールしよう。

指輪ははじめからはめておいたほうが自然デスヨ!

② もう片方の手で指輪を覆う

つけている指輪をはずそうとしているようにふるまって!

フン!

③ 指輪をはずしているフリをする

このとき、実はある秘密が……!

④ 人差し指を隠して中指を見せる！

こっちの指を
見せているだけ！

ココが運命
ポイント！

指輪が見えないように
さりげなく親指で
隠しているよ

中指を見せながら、
指輪はにぎったほう
の手の中に入ってい
ると思わせよう。

⑤ にぎった手を開いて指輪を投げるフリをする

「ポンッ!」と音を立てなが
ら、指輪を投げるフリをす
る。同時に、中指と人差し
指をすばやく入れ替えよう。

ポンッ！

一瞬で元に
戻ってる〜〜

コインが消える！

このマジックの
動画はこちら

レベル ★★★

の中から消えてしまう……。実は、コインは拾っておらず、靴の下に隠しているよ。

| 30 |

たしかに拾った はずなのに……

パッ！ 手から

足元にコインを落としちゃった。すかさず拾ったはず

運命ポイントは
ココでした！

コインを拾う
フリをしながら
靴の下に
隠していた！

たしかに拾ったはずなのにコインが手から消える!

タネあかします

用意するもの
・コイン

① 足元にコインを落とす

ぽとっ…

つま先のちょっと前くらいが理想。落とす場所がうまくいかないときは、足の位置をずらそう。

②
コインを拾うフリをして靴の下に入れる

ココが運命ポイント!

指先をサッと動かして、コインを靴の下にスライドさせよう。

いかにも持っているみたいに手をそろえて!

立っても座ってもできるヨ!

③ コインを持っている（フリをしている）手に片手を添える

こうなってた

両手でコインを持つフリをして友達の注目を手に集めたら、指を1本1本開いていく。

④ 手を広げてコインが消えていることをアピール！

はーい！消えました〜！

手に注目が集まっている間に、足をずらしてコインを出しておく。

⑤ 「どーん！」と言いながら床に置いてあるコインを見せる

え!?なんでここに？

指差しなどをして、床のコインに注目を集めよう。

どーん！

33

輪ゴムが抜ける！

このマジックの
動画はこちら

と絶対に抜けることはないはず。なのに、一瞬で抜けてしまう高度なテクニックです。

輪ゴムが
２つ
あります

２つを
交差
させます

そう
すると

引っ張っても
抜けません

グイ

グイ

07

クロスさせた　はずなのに……

パパッ！ 一瞬て

クロスさせた2本の輪ゴム。引っ張っても、指をはずさ

運命ポイントは
ココでした！

輪ゴムをビョンビョン
引っ張りながら
すばやく親指の輪に
人差し指を通していた！

抜けない

ハズなん
ですが…

ビョ

ビョーン

ときどき

抜けちゃうん
ですねー

アレ!!
てなんで!?

パッ

クロスさせたはずなのに一瞬で輪ゴムが抜ける!

タネあかします

用意するもの
・輪ゴム（2本）
---

① 2本の輪ゴムが交差するように持つ

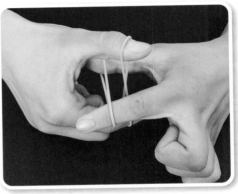

輪ゴムどうしがクロスするように、親指と人差し指に通す。

② 引っ張って抜けないことをアピールする

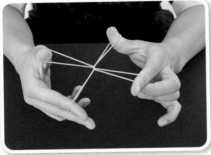

何度かビョンビョンと引っ張って、このままでは抜けないということを印象づけて。

③ 中指と人差し指で輪ゴムをはさむ

ビョンビョンさせたまま、さりげなく人差し指に中指を添える。

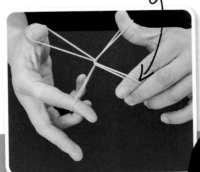

ココに注目!

すばやくできるようになるまで何度も練習シテネ!

④

人差し指の
輪ゴムをはずして
そのまま人差し指を
親指の輪に通す

人差し指をはずして親指の輪
に通す動作は、輪ゴムをビョ
ンビョン引っ張りながらすばや
く行って。

ココが運命
ポイント！

人差し指を
親指の輪に
入れ込んで！

え！？
なんでっ？？

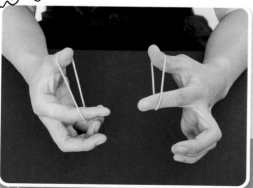

⑤

一瞬で輪ゴムが
抜けた！

そのまま引っ張ると、輪ゴムは
抜ける。でも、輪ゴムは親指
と人差し指に引っかかった状
態のまま！　不思議〜！！

レベル ★ ★ ★

シュが増える!

入れていこう。2個入れたら、3個目はポケットへ。出してみると3個に増えていました!

08

手の中に入れたのは2個なのに……

ドキッ

ティッ

テーブルに丸めたティッシュを3個並べ、1個ずつ手の

運命ポイントは
ココでした！

あらかじめ
右手の中に
ティッシュを1個
隠していた！

手の中に
ティッシュは

いくつ
でしょう？

2つ!!

ハイ

1・2
3つです

サッ

あれぇ？

サッ

手の中に入れたのは2個なのにティッシュが増える！

タネあかします

用意するもの
・ティッシュ（4枚）

① 丸めたティッシュを3個並べる前にあらかじめ右手に1個隠しておく

コレはナイショ♡

3個ありますよ〜！

ココが運命ポイント！

手に1個隠した状態で、丸めたティッシュを3個テーブルに並べよう。

② 最初の1個を左手に入れるときにあらかじめ持っていた1個も一緒に入れる

実際は手に持っているティッシュが見えないようにやってネ！

これで左手には2個のティッシュが入っている状態に。

08

③ 2個目のティッシュを左手の中に入れる

これで左手には、ティッシュが3個入ることになる。

④ 最後のティッシュを右手に持ちポケットの中に入れる

見えないようににぎる

ポケットに入れているところをアピールしよう!

⑤ 左手に入ったティッシュを1個1個、テーブルに並べていく

そう! 1個

手の中には何個入っていると思いますか?

3個です

2個

シュが２個に!?

このマジックの
動画はこちら

開くと２個に増えてる!?　実は、移すフリをして、そのまま隠し持っているよ。

1個しか持ってないはずなのに……

いつのまにか ティッ

友達に丸めたティッシュを1個、にぎってもらおう。

運命ポイントはココでした！

左手に移すように
見せかけておいて
そのまま右手で
持ち続けていた！

これからティッシュが移動します

ハイッ

パチン

移動しました

いつのまに!?

パ……

ジャ〜ン

タネあかします

用意するもの
・ティッシュ（2枚）

① テーブルの上に丸めたティッシュを2個置く

ティッシュが2個あることを強調して、印象づけよう。

② 右手でティッシュを1個とる

ティッシュを1個とるところをきちんと見せて。

③ とったティッシュを左手に移す（フリをする）

左手はティッシュをにぎっているフリ!

親指で押さえながらティッシュを左手に移すフリをし、左手はすばやくにぎる。

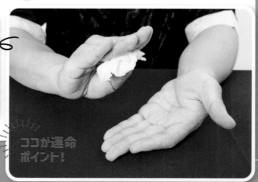

ココが運命ポイント!

④ **右手でもう1個の
ティッシュをとる**

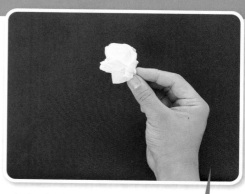

⑤

**右手に持ったティッシュを
友達の手の中に入れる**

右手の中に②でとったティッシュを隠した
まま、もう1個のティッシュをとる。

**実は
こうなってる!**

右手には隠したティッ
シュと、つまんだティッ
シュの2個。左手には
何も入っていない。

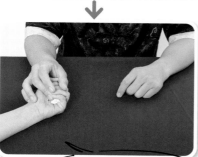

すばやくにぎらせよう!

友達の手のひらの上に置いたら、そのまま手
をぎゅっとにぎってもらう。

⑥ **友達に手を開いてもらう**

バーン!

手を開くとティッシュが2個。
1個しかにぎってないと思って
いる友達はびっくり!

え!? 増えてる!!!

ティッシュが！卵が！

このマジックの動画はこちら

ティッシュを渡し、調べてもらっている間にタネを仕込むという心理マジック！

ティッシュと紙コップがあります

ティッシュを紙コップの上へ

移動すると

ハイッ

消えました

ジャーン

紙コップから出てきた

では

両手を出して

ハイー

ハイー

10

なんで!?

たしかに調べた はずなのに……

紙コップから

紙コップに仕掛けがないことを、友達に見てもらお

運命ポイントは
ココでした!

友達が調べている間に
こっそりティッシュを
紙コップに入れていた!

タネあかします

用意するもの

- ・ティッシュ（2枚）
- ・紙コップ
- ・卵

① 丸めたティッシュ2個、紙コップ、卵を用意する

② コップに何もないことを友達に調べてもらう

「しっかり見てね！」と伝えよう。

ティッシュは手の中に隠しておく

卵はポケットの中に隠しておく

ポケットに卵、手の中にティッシュを入れたら準備完了。

③ 丸めたティッシュも調べてもらう。このスキに隠しておいた丸めたティッシュを紙コップに入れる

④ 友達からティッシュを受け取り左手に入れるフリをする

右手の親指で軽く押さえて、さりげなく持ちっぱなしにしておこう。

このスキに入れちゃおう！

ココが運命ポイント！

ティッシュを見ているから、こっそり入れてもバレない！

⑤ 左手に持っている（フリの）ティッシュを紙コップに投げ込む

⑥ 紙コップをはずして中に入っているティッシュを見せる

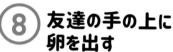
ティッシュを入れて

右手には
ティッシュが
入ってる！

ボーン

卵を出す

みんながティッシュに注目しているスキに、ティッシュをポケットに入れて、卵を出す。

「ボーン！」と口に出して言って、注目を集めよう。

⑦ みんながティッシュに注目しているスキに紙コップに卵を入れる

⑧ 友達の手の上に卵を出す

トークでつなぎながら、すばやく入れて。

どーん！

何も入ってないはずの紙コップから、今度は卵が出てきてびっくり！

コップを外側から軽くつぶすように持つと、逆さにしても中の卵が落ちないよ！

9,999に変わる！

このマジックの
動画はこちら

…う。6は逆さにすると9に見えるよね？　スマホを振ると……数字が変わるマジック！

11

666,666,666と
電卓に入れたのに……

一瞬で **999,99**

iPhoneの電卓で「666,666,666」と入力して、友達に

運命ポイントは
ココでした！

あらかじめ計算機に
「333,333,333」と
打ち込んで
準備していた！

999,999,999

数字が

変わり
ます

これが

運命
です

？

えー？
なんで!?

666,666,666と電卓に入れたのに999,999,999に変わる！

タネあかします

用意するもの
・iPhone

**① 友達に見せる前に
iPhoneの電卓に
仕掛けをしておく**

まず「333,333,333」
と入力し＋を押す

ココが運命
ポイント！

333,333,333

友達が見ていないところで、打ち込んで
おいてね。

「6」と
入力する

これで
スタンバイ完了！

6

僕は
iPhone を
使ってますヨ

| 52 |

② 友達に見せながら「666,666,666」と入力する

③ iPhoneを逆さにして友達に見せる

> 6 を逆さにすると、9 に見えますよね？

①で「6」は 1 回入力してあるから、あと 8 回押そう。

声に出して、逆さにすると「9」に見えるということを納得させよう。

④ iPhoneを横にスライドさせるように動かす。このときさりげなく「+」を押す

⑤ 「999,999,999」になったiPhoneを友達に見せる

拡大！

999,999,999

スッと動かそう

動かしながら押せば、友達の目には何をしているか見えない！

えっ！なんでっ？

たまに「もう 1 回やって！」とリクエストされることがあるけれど、仕込まないとできないのでこれで終わり。違うマジックを見せよう。

12

このマジックの動画はこちら

レベル ★★★

手でこすっただけなのに
数字が消えていく!?

iPhone の電卓に、はじめからついている機能を使ったネタ。
はじめて見るとびっくりしちゃうけど、実はマジックでもなんでもないんだよ。

タネあかします

用意するもの
・iPhone

あらかじめ友達に、数字の「6」と書いた予言カードを渡して、誰にも見えないように持ってもらってネ。

② 「6」が1個消えたらまた親指でこすると数字が消えていく

この調子でどんどん数字を消していこう。

① iPhoneの電卓に「66,666」を入力したら親指で左から右にこする

ココが運命ポイント！

親指の腹を強めに当てて、動かそう。

④ 「0」になったiPhoneを友達に見せる

では飛ばした「6」はいったいどこに行ったのでしょうか？

③ 最後の「6」を消すと「0」になる！

数字が「0」になるまで、親指でこすり続けよう。

とうとう0に……

ココでした！

セリフを言いながら、最初に友達に預けた予言カードを開いてもらう。

バーン！

13

このマジックの
動画はこちら

レベル ★★☆

青いペンを持っていたはずなのに……

黒いペンに変わる！

青いペンを持って、大きくくるっと回すと黒いペンに早変わり！
実はペンの両端にキャップをつけて、振った瞬間に上下を逆さまにしたんだよ。

タネあかします

用意するもの
・黒いペン
・青いペン

① ペンを2本用意する

同じメーカーのペンにするのがコツ。

④ 大きくペンを振りながら 上下を入れ替える

動かしながら入れ替えると、目に見えないので気づかないよ。

② 黒いペンのキャップをはずし 青いペンのペン先の 反対側につける

ココが運命ポイント！

同じメーカーだから、無理なくつけることができるよ。

⑤ 黒いペンを見せる

黒に なってる！

ここに青いペンがありま～す！

③ 黒いキャップを 隠すように持ち 友達にペンを 見せる

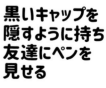

上下を入れ替えると、青いキャップが隠れるので黒いペンに見える！

ペンは、不自然にならないように、軽くにぎってね。

14

違う長さ だったのに……

ロープが同じ長さになる！

長さの違う2本のロープが、なんと同じ長さに！　本来は同じ色のロープを使いますが、
今回はわかりやすくするために、タネあかしでは違う色のロープで解説します。

✿ タネあかします

用意するもの
・短いロープ
・長いロープ

① 長さの違う2本の ロープを用意する

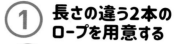

> マジックを見せるときは、同じ色のロープを使ってネ!

長いほうは短いほうの3倍くらいの長さだとやりやすいよ。

② 2本のロープを片手に持ち 短いほうをUの字にする

同じ色のロープだとこんな感じになるよ!

ココが運命 ポイント!

2本のロープを交差させ、長いほうのロープの端と端を合わせるように引っ張る。

この部分を手でかくす

長いロープを引っ張るとき、交差している部分を左手でにぎって隠そう。

③ 長いロープと 短いロープを交差させる

> え!? 同じ長さになってる!!

友達から見ると、2本のロープが同じ長さになっているように見える!

15

このマジックの動画はこちら

レベル ★★★

指を突き刺したのに……
マスクの穴が消える！

マスクに人差し指を当てて力を入れたら……なんと突き抜けてしまった！
でも、なぜか穴はあいてません。人差し指と中指を切り替えるのがコツです。

タネあかします

用意するもの
・マスク

① マスクの真ん中に 人差し指を当てる

マスクに何もないことを友達に見せてから、真ん中に人差し指を当てよう。

② マスクを少し折り込んで 下から中指を見せる

この部分で隠している！

ズバッ！

これからマスクに穴をあけま～す！

ココが運命ポイント！

人差し指の先をすばやく突き刺すフリをして、マスクの下から中指を見せて。

裏から見ると、こんな感じ。中指を下から出し、突き出ているように見せているよ。

こうなってる！

③ マスクから手をはずして 友達に見せる

え!? なんで穴があいてないの？

指をすばやくはずし、穴があいていないことを証明しよう。

指を出すときに大きな声で「ズバッ！」と言って、音が出ていないことをごまかしマス。

16

レベル ★★★

このマジックの
動画はこちら

しっかり中指に通したのに……
ストラップが手から抜ける!

中指に通したネックストラップ。引っ張っても普通は抜けないはずなのに、
中指をすり抜けて、はずれてしまいます。実ははじめの持ち方に秘密が!

タネあかします

用意するもの
・ネックストラップ

> 友達にストラップを見せた後、
> 「左手と右手、どちらが好き?」
> と質問しながら、テーブルの下で
> ササッと準備しちゃいマス!

① ネックストラップを持って中指に通し、はさみ込む

まずは普通に持つよ!

そのまま中指に通そう

> 手をにぎるときに人差し指と薬指の間にストラップをはさむよ

友達がほかのことに気をとられている間に、机の下で仕込んでおこう。

> こんな感じに通して、はさみ込む

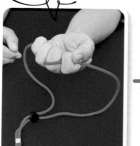

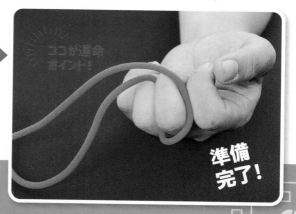

ココが運命ポイント!

準備完了!

② **準備ができたら**
手を友達の前に出す

手を開くと
こうなってる！

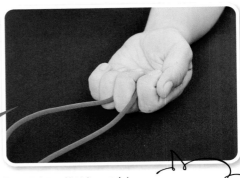

「このままじゃ抜けないですよね」などと言いながら、友達に見せよう。引っ張られて抜けないよう注意してね。

中指にストラップを通しているだけに見える！

③ **友達にストラップを**
引っ張ってもらう

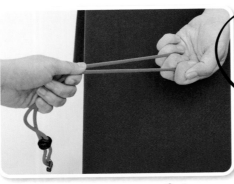

ストラップははさんでいるだけなので、するりと抜ける。

「今から運命の瞬間です」と言って、気持ちを高めてクダサイ

え!?
なんで抜けるの？

PART. 2

タネと仕掛けの簡単工作マジック

ちょっとした工作で仕掛けを作るタイプのマジック。
難しいものはないので、安心して。友達のおどろく顔を想像しながら
タネを仕込む気分は最高！　作りながらワクワクが止まらないよ。

お茶が消える！

このマジックの動画はこちら

レベル ★ ★ ★

…なんと消えてしまいました。ラベルをきれいにはがして仕掛けを作るのがポイント。

17

ペットボトルごと
入れたのに……

ウソ!? 紙袋から

紙袋に入れたお茶のペットボトル。ぐちゃっと丸める

**運命ポイントは
ココでした！**

**お茶のラベルを
ていねいにはがして
両面テープで
貼り付けていた！**

ペットボトルごと入れたのに紙袋からお茶が消える！

タネあかします

用意するもの
・お茶のペットボトル（500mℓ）
・紙袋

使用する道具
・はさみ
・両面テープ

お茶のラベルを
ていねいにはがす

紙袋、500mℓの
ペットボトル、はさみ、
両面テープを用意する

ミシン目からきれいに切って、破れないようにていねいにはがしてね。

ペットボトルはお茶じゃなくても大丈夫だけど、下までラベルに覆われているものを選んで！

はさみを使うときは手を切らないように気をつけてネ！

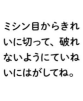
ラベルが巻いてあった部分の
いちばん上よりやや下の位置で
ボトルをカットする

今回使った「お〜いお茶」の場合は、へこんでいる部分で切るとちょうどいい。

こんな感じにカットしよう

④ 切ったボトルの下側に両面テープを貼り、ラベルを貼り付ける

上の部分しかないペットボトルの完成！

ココが運命ポイント！

ペットボトルの形に見えるように、ていねいに少しずつ貼り付けていこう。

⑥ 紙袋を勢いよく丸める！

はい！ お茶が消えました

ぐちゃっ！

ポイッ！

紙袋を勢いよく丸めて、ポイッと投げ捨てる。

⑤ 友達の前で紙袋にペットボトルが入っているところを見せる

ここにお茶が入ってます

ここからマジックのはじまり

紙袋にペットボトルを入れておき、上の部分だけを見せよう。

にコインが入る！

このマジックの
動画はこちら

…ははじめからペットボトルに切り込みを入れて、はさんでいます。

18

なんで？

押しただけで すり抜けた!?

ペットボトル

底に10円玉を当てただけなのに、中に入っちゃった

運命ポイントは
ココでした！

> ペットボトルに
> 切り込みを入れて
> 10円玉をこっそり
> はさんでいた！

押しただけですり抜けた!? ペットボトルにコインが入る!

タネあかします

用意するもの
・ペットボトル
・10円玉（2枚）

使用する道具
・はさみ

① ペットボトル、10円玉2枚、はさみを用意する

空のペットボトルを準備してね。

② 真ん中くらいのミゾに切り込みを入れる

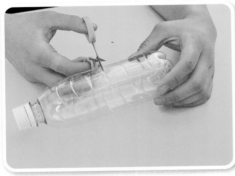

はじめからミゾで線ができているから、切り込みを入れてもバレにくいよ。

横にミゾが入った「ポカリスエット」がおすすめデス!

③ 10円玉をはさみ込む

ココが運命ポイント!

切り込みに、斜めに10円玉をさしたらセット完了。机の下に隠しておこう。

④ **机の手前に
10円玉を置いて
友達に見せる**

ここから
マジックの
はじまり！

⑤ **右手で10円玉を
持つフリをして
ひざの上に落とす**

落とす

右手は10円玉を
持ったフリ

疑われない程度に、なるべく自分に近い位置に置く
のがポイント。

前から見ると10円
玉を持っているよう
に見えますよ〜

こっちの手で
ペットボトルを
持つ

右手をペットボトルの底に当てる
と同時に、はさんでおいた10円
玉を左手で押して中に入れ込もう。

⑥ **ペットボトルを持ち、
10円玉を持ったフリをし
右手を底に当てる**

切り込みは
パッと見では
まったくわからない！

10円玉をはさんだ
部分を左手で隠す

コツン！

え！？
どうやって
入ったの？

73

千円札に変わる！

このマジックの
動画はこちら

千円札に変わる！　実は2枚のお札を重ねて、両面テープでとめていました。

19

やったぁ！

3回お札を折りたたむと……

千円札が五

千円札を半分に折って、また折って、さらに折ると……

運命ポイントはココでした！

千円札と五千円札を
2枚重ねて
角を両面テープで
貼り付けていた！

3回お札を折りたたむと千円札が五千円札に変わる!

タネあかします

用意するもの
- 千円札
- 五千円札

使用する道具
- 両面テープ

貼るのはここだけ!

ココが運命
ポイント!

① 千円札と五千円札を重ね角を両面テープで貼り付ける

2枚のお札を横半分に折った線で重ねて、角を両面テープで貼る。

② 五千円札を3回折って小さくたたむ

半分に折って

さらに折る!

また折って

これで
スタンバイOK!

小さく折った五千円札を隠すように持ったら、友達に見せよう!

③ 友達に見せながら千円札を折りたたむ

「小さくなりました！」

「また半分に折リマス」

「半分に折リマ〜ス」

千円札をゆっくり折っていくところを友達に見てもらおう。

⑤ ゆっくりと五千円札を開いていく

え!?

アレ？

④ 手を大きく振りなが裏返しにする

シュッ!

手を振っているときに、お札を裏返そう。大きく動かしているから、手元の細かい動きは友達には見えないよ。

マジで!?

「五千円札になりマシタ〜！」

千円札の部分をさりげなく隠しながら、五千円札のほうを開いていこう。

レベル ★★★

たくさん入ってる！

このマジックの
動画はこちら

い入ってる！　実は、ハーフサイズのプラコップに輪ゴムを入れて、隠していました。

よく見て
ください

普通の
プラコップ
ですね

これに
ハンカチを

かぶせると

せ～～の

サッ

ピラッ

20

あれ!? 輪ゴムが

空のプラコップだったはずなのに、なぜか輪ゴムがい

運命ポイントは
ココでした!

輪ゴムがいっぱい
入ったプラコップを
ハンカチで隠して
持っていた!

パッ

輪ゴムが
出て
きました

どゆことー
?

空のプラコップに息をかけると輪ゴムがたくさん入ってる!

タネあかします

用意するもの
- ・透明のプラコップ(2個)
- ・輪ゴム
- ・ハンカチ

使用する道具
- ・はさみ

① 透明なプラコップ、輪ゴム、ハンカチ、はさみを用意する

輪ゴムの代わりに、キャンディやチョコなど、プラコップに入るものならなんでもOK!

② プラコップをはさみでカットする

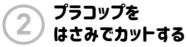

プラコップの真ん中あたりをはさみでカットする。

下の部分を使うよ!

③ カットしたプラコップに輪ゴムを入れる

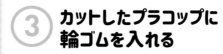

なるべくカラフルなものを入れたほうが、盛り上がるよ!

④ 右手に空のプラコップ、左手に③を持ち、ひざの上に置く

上から見ると

これでスタンバイOK!

切れてないプラコップ

輪ゴム入りプラコップとハンカチは、友達からは見えないように、ひざの上に置いて隠しておこう。

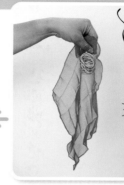

こんな感じに持ってハンカチで隠してね

ココが運命ポイント!

本番では透けないハンカチを使おう。

⑥ ハンカチを空のプラコップにかぶせながら輪ゴム入りコップを空のプラコップに入れる

友達からは空のプラコップをハンカチで隠しているだけにしか見えない!

⑤ プラコップに何も仕掛けがないことを友達に確認してもらう

プラコップは友達に渡して、しっかり見てもらってもOK。

じゃ～ん!

え?なんか入ってる!

⑦ ハンカチをはずし、空のプラコップに輪ゴム入りのコップが入ったのを見せる

下のほうはコップが2個重なっている。でも、プラコップは透明だし、はじめから横線が入っているから、重なっているかはわからないよ。

水をすり抜ける！

このマジックの
動画はこちら

あけたクリアファイルを当てることで、目の錯覚で不思議な現象に見えます。

ペットボトルの中を通ったの!?

不思議 ハンカチが

ハンカチがペットボトルの中をすり抜けるマジック。ア

運命ポイントはココでした!

ボックスティッシュの取り出し口のようにカットしたクリアファイルを当てていた!

シュル

わっ

通り抜けました—

バイッ

おぉーっ

スゲー

タネあかします

用意するもの
- ・水のペットボトル
- ・クリアファイル
- ・ハンカチ

使用する道具
- ・はさみ

① ハンカチ、水の入ったペットボトル、クリアファイル、はさみを用意する

ペットボトルとクリアファイルは、透明なものを選ぼう。

② クリアファイルをボックスティッシュの取り出し口のようにカット

まずは
縦4cm×横7cm
くらいに切る

内側はハンカチが無理なく通る大きさにあけよう。

手品用のハンカチは、300円前後で手に入りマス!

軽く折り曲げて内側を四角く切り抜く

③ あらかじめ真ん中の穴に ハンカチを通しておく

クリアファイルの角を持ち、ハンカチを穴に通す。

④ ③をペットボトルに ぴったりとくっつける

これで
スタンバイOK!

ココが運命
ポイント!

クリアファイルとペットボトルは
どちらも透明だから、ある程
度離れたところから見ると、仕
掛けがわからないよ。

「運命の瞬間です!」
と言って、引き抜こう

⑤ ③で通した ハンカチを下から 引っ張る!

本当はただ、ペットボトルの下
に沿って動いているだけ。でも、
仕掛けのおかげで、ペットボト
ルの中を通って、向こう側に飛
び出ているように見えるよ!

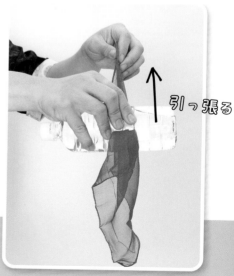

引っ張る

レベル ★ ★ ★

さわってない はずなのに……

紙コップが宙に浮く！

手を触れていないのに、紙コップが浮かぶマジック。紙コップに穴をあけ、
親指を通しているだけですが、一瞬見せるだけならバレません！

タネあかします

用意するもの
・紙コップ

使用する道具
・はさみ

① はさみと紙コップを用意する

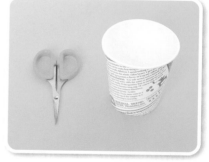

紙コップは真っ白なものでも、模様入りのものでも OK。

② 紙コップにはさみで穴をあける

紙コップの真ん中あたりに、はさみで穴をあける。

④ コップに親指を差したまま上下左右に動かして浮いたように見せる

パントマイムの実力が問われるマジックです

お～っとっと！

下に手を添えると、浮かんでいるように見えるよ。

③ あけた穴に親指を差し込む

これでスタンバイOK！

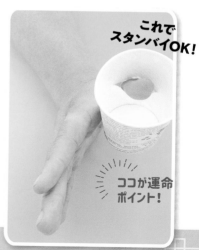

ココが運命ポイント！

②で小さめに切り込みを入れて、親指をズボッとさせれば OK！

23

レベル ★ ★ ★

このマジックの
動画はこちら

ざーっと注いだのに……

紙コップに入れた水が消える!

紙コップに水を注いで逆さにすると……普通はこぼれてしまいますが、
一滴も落ちません。紙コップの中にスポンジを入れるだけの簡単マジック。

タネあかします

用意するもの
- ・紙コップ
- ・食器用スポンジ
- ・水

① 紙コップ、スポンジ、水を用意する

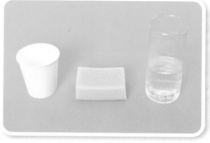

スポンジは吸水性のよいものを選んでね。

② 紙コップの中にスポンジを詰める

これで
スタンバイOK！

ココが運命
ポイント！

ぎゅうぎゅう

適当な大きさのスポンジを
ギュッと押し込めばOK。

③ 紙コップに水を入れる

水を入れたことがアピールできる分量を入れよう。

事前にスポンジが吸水できる水の量を調べておこう。

④ コップをひっくり返して水が出てこないことをアピールしよう！

はい、水が
消えました！

お〜！
すごい！！

スポンジは中にぎゅうぎゅうに詰
まっているので、手で押さえなく
ても大丈夫。落ちてこないよ。

中のスポンジが
友達から見えない
ように、注意デス！

24

このマジックの
動画はこちら

手の中に入れた
だけなのに……

ハンカチが卵に変わる！

ハンカチを手の中に押し込んで、息を吹きかけると卵に！　仕掛けは簡単。
卵の中身を抜いて、中に詰め込んでいるだけでした。

タネあかします

用意するもの
- 卵
- ハンカチ

① ハンカチと 卵を用意する

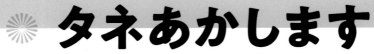

スーパーで買える普通の卵で OK だよ。

② 卵の殻を割って 中身を出す

ココが運命ポイント！

中身を出そう

真ん中を ちょこっと割って

切り口は洗ってからはさみなどで整えよう。丈夫にしたい人は、硬くなるスプレーなどを吹きかけても OK。

しっかり洗って 乾燥させよう

③ 卵を手の中に隠して持ち ハンカチを友達に見せる

④ 手の中にハンカチを 入れていくフリをして 卵の中に入れる

手品専用の卵は、 800 円前後で買うこと もデキマス！

これで スタンバイOK！

ハンカチを卵の中に全部入れ終わったら、「運命タイムのはじまりです」と宣言。卵を見せてびっくりさせよう。

「ここにハンカチがあります」と言って、友達にハンカチだけを見せる。

25

レベル ★★★

このマジックの
動画はこちら

何も入ってない
はずなのに……

紙袋からペットボトルが！

何も入っていないことがわかる空っぽの紙袋から、ペットボトルが現れる驚きのテク。
仕込んだペットボトルをジャケットでさりげなく隠すのがコツ。

タネあかします

用意するもの
- ・紙袋
- ・ペットボトル

使用する道具
- ・はさみ

まずは、紙袋とペットボトル、はさみを準備してクダサイ！

① 紙袋にはさみで切り込みを入れる

上から10cmくらいのところをカット

紙袋の穴は、ペットボトルが無理なく通るくらいの大きさに。

ココが運命ポイント！

これくらいの穴があけばOK！

② ズボンのウエスト部分にペットボトルをはさむ

これでスタンバイOK！

ベルトや内ポケットなど取り出しやすいところならどこでもOK！

必ずジャケットを着て、ペットボトルが見えないように隠すのがコツ。

「好きな飲み物は何ですか?」と友達に質問。うーん……と考えている間に紙袋を開いてペットボトルに近づけマス。

③ **紙袋を隠しておいた
ペットボトルに近づける**

紙袋には何も入ってないということを強調するため、はじめは折っておき、友達の目の前で開こう。

実際はペットボトルが見えないようにやるよ!

④ **何も入っていない
紙袋の中から
ペットボトルが現れた!**

こうなってる!

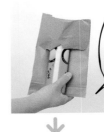

あけた穴にペットボトルを差し込み

上から取り出すだけ!

これだけで、何もない紙袋からペットボトルがいきなり出てきたかのように見せられる。

**なんでここから
出てくるの?**

紙袋にあけた穴にペットボトルを通して、上から取り出す。

PART. 3

みんなびっくり！
カードマジック

やっぱりはずせないのが、トランプを使ったマジック。
シャッフルの仕方やカードの広げ方がスムーズになるまで繰り返し
練習しよう。トークの技術も磨いたら上級者の仲間入りだよ！

ンプが入っちゃう！

このマジックの
動画はこちら

に入ってしまいます。不思議ですが、実はカードが風船に巻き込まれているだけでした。

風船と

箱入り
トランプが
あります

ふくらませた
風船を
トランプに
押し当てると

グ…

プシュー

ピチーン

風船の中に
トランプが
入っちゃい
ました!!

26

アレ!?

ふくらませて 押し付けると……
風船にトラ

ふくらませた風船にトランプを押し付けると……なんと、

運命ポイントは
ココでした！

押し付けることで
風船がぴっちりと
トランプの箱を
包み込んでいた！

もう1度
ふくらます

プー

トランプが

出て
きました

パ

すごい!!

ふくらませて押し付けると風船にトランプが入っちゃう！

タネあかします

用意するもの
- ・トランプ
- ・風船

① トランプと風船を用意する

トランプは箱に入った状態のものを準備しよう。風船は普通の丸いタイプでもOK。

② 風船をふくらませる

風船を自分の顔よりも大きいくらいまでふくらませる。

③ 右手にトランプを持つ

親指以外の4本の指で支ええるように持つと◎。

④ 風船にトランプを当て空気を抜きながら押し付ける

プシュー！

中に入れ込むように、強く押し付けてね。

⑤ **風船が中に入っちゃった！**

トランプがまるで風船の中に入ったように見える。

ウラはこうなってた！

ココが運命
ポイント！

風船の中に入ってしまったのではなく、トランプの周りを風船がぴったりと覆っていただけ。

裏を見せてと言われる前にカードを元に戻しちゃいましょ！

じゃじゃーん！

風船の特徴を利用しただけのマジックなので、友達に調べてもらうともっと不思議に見えるデスヨ！

⑥ **風船をふくらませてトランプを元に戻す**

風船をふくらませて、中からトランプを取り出す。

―だけが現れる！

このマジックの
動画はこちら

るワザ。上と下にジョーカーを入れているだけですが、練習が必要なテクニックです。

27

カードを右から左に投げると……

ズバッ！ **ジョーカ**

カードを右から左に投げると、右手にジョーカーだけ

運命ポイントは
ココでした！

箱から出す前に
カードの上と下を
ジョーカーにして
準備していた！

カードを右から左に投げるとジョーカーだけが現れる！

タネあかします

用意するもの
・トランプ

① ジョーカー2枚を取り出しておく

トランプにはジョーカーが2枚入っているから、それを抜き出そう。

② ジョーカーを上と下に入れて箱にしまう

ココが運命のポイント！

友達に見せるときは、箱から出してすぐにやると驚いてくれる！　ここまで準備したら箱にしまっておいて。

③ 箱から出したら上は親指で下は残り4本の指でしっかりと押さえる

上下に入れてあるジョーカーを指でしっかりと押さえる。

④ 右手から左手にトランプを投げる

ズバッ！

指で押さえた上下のカード以外が左手に移動する。

おお～！

裏返すとジョーカー！

箱から出したらすぐに友達に見せよう！いきなりやったほうが驚きが大きいデスヨ

動画を
見てネ!

アレンジバージョン

選んでもらったカードを引き当てる!

② 引いたカードを回収し 下から2枚目に入れる

ココが運命 ポイント!

カードを回収したら、さりげなく下から2枚目に入れる。

いちばん上のカードは親指で、いちばん下と下から2枚目のカードは残り4本の指でしっかり押さえる。

あなたが選んだカードは 6ですね?

なんで わかるの?

裏返すとジョーカーの間に選んだカードが!

① 友達にカードを1枚引いてもらい 自分では見えないように 覚えてもらう

実はいちばん上と下の カードはジョーカー

心理的にいちばん上と下を選ぶ人はいないので、安心して引いてもらおう。

③ 右手から左手に トランプを投げる

ここでは見やすいようにジョーカーだけ表にしているけど本番ではジョーカーも裏にして重ねてネ!

ズバッ!

上1枚下2枚を押さえて、ほかのカードを左手に移動すると、右手にはジョーカーと友達が選んだカードだけが残るよ。

ドが浮き上がる!

レベル ★ ★ ★

このマジックの
動画はこちら

き上がるテクニックを2つご紹介! 見破られないように、指をうまく使ってね。

| 104 |

28

手でさわってない はずなのに……

すすっ! 選んだカー

友達が選んだカードを、元の山に戻してもらうと自然に

運命ポイントは
ココでした！

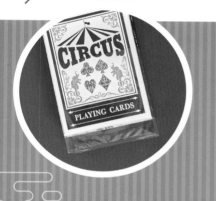

トランプ箱の袋に
カードを入れていた！

これから
あなたが
選んだ

フフフ…

カードが
浮き上がり
ます

ニョキッ

105

手でさわってないはずなのに選んだカードが浮き上がる！

タネあかします

用意するもの
- トランプ

① 友達にカードを
1枚引いてもらい
自分では見えないように
覚えてもらう

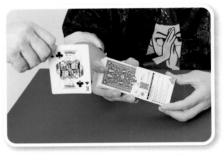

箱から出して選んでもらったら、友達がカードを見ている間に残りのカードを箱にしまおう。

② 選んだカードを戻すとき
こっそり箱と袋の間に
入れる

ココが運命
ポイント！

箱の中に入れているフリをして、こっそり袋と箱の間に入れちゃおう。

③ 親指の爪でカードを押して
選んだカードを動かす

運命の瞬間です

実はこうなってた！

にょ〜ん！

決めゼリフを言いながら、カードを動かそう。相手からは浮き上がっているように見えるよ！

新品のカード箱についている薄い透明な袋を捨てずにつけておこう！

動画を
見てネ！

アレンジバージョン

選んだカードをシャッフルしてから当てる！

② 戻すときはいちばん上に置いてもらう

トランプの山を出して、いちばん上にカードを戻してもらおう。

① 友達にカードを1枚引いてもらい自分では見えないように覚えてもらう

箱からカードを出し、1枚選んでもらったら、自分では見えないように数字とマークを覚えてもらう。

④ 小指でカードを押して選んだカードを動かす

これが運命です

ますす

決めゼリフを言いながら、カードを動かそう。相手からは人差し指で浮き上がらせているように見える！

③ いちばん上のカードが混ざらないようにカードをシャッフルする

ココが運命ポイント！

これが友達の選んだカー

カードが1枚ずつ交差するようにシャッフルすると、いちばん上のカードが混ざらないようにコントロールできるよ。

実はこうなってた！

エースを呼ぶ！

このマジックの
動画はこちら

ったらAをのせます。2回繰り返すと4枚のAが並びますが、仕掛けがわかれば簡単です。

29

びっくり！ エースが

Aを2枚残し、トランプを1枚ずつ配って、友達がストップ

運命ポイントは
ココでした！

あらかじめ
2枚のAを
トランプの山の
上と下に入れていた！

並べて

ズラ〜

A2枚の右隣の
カードをあけると…

くださいA全部です4枚

好きなときにストップしたのにエースがエースを呼ぶ！

タネあかします

用意するもの
・トランプ

① あらかじめ4枚のAを出し
トランプの上と下に1枚ずつ
Aを入れたらスタンバイ！

ココが運命の
ポイント！

残り2枚のAは出しっ
ぱなしにして、友達に
声をかけよう。

② トランプを上から1枚ずつ取って
置いていき、好きなところで
「ストップ」と言ってもらう

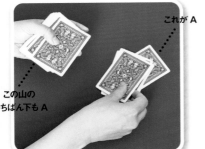

これがA

この山の
いちばん下もA

これはどこで言われてもOKなので、
気にせず置いていこう。

③ 「ストップ」と言われたら
出しておいたAを1枚はさみ
持っている山を重ねる

ストップ！

OK！　じゃあここに
Aをはさみマス

このとき左手の下にあった
Aと今はさみこんだAが
並んだヨ！

友達がストップと言ったら、その場所にA
をはさんで、手で持っている山を重ねる。

110

④ ③で重ねた山をそろえ、また友達が「ストップ」と言うまで上から配る

> ストップ！

ここも気にせずにバンバン配ろう。

同じように「ストップ」→Aをのせる→手で持っている山を重ねることで、Aが2枚並ぶことに！

⑤ 「ストップ」と言われたら最後のAをはさみ持っている山を重ねる

> Aをはさみマス！

> この山のいちばん下が②のときに最初に置いたAになっている！

> また重ねマス

重ねるとAが2枚並ぶ！

カードを
めくると……

⑥ 山を大きく広げAとその右のカードを抜き出してめくる

見事、Aが2枚ずつ並んだ！「これが運命です」と決めゼリフを言って盛り上げよう。

全部Aに！！

が5番目に現れる！

このマジックの
動画はこちら

だカードが「5」のカードから5枚目に現れました。はじめに重ねる順番がカギです。

30

どうして!?

選んだカード

カードを1枚選び、戻す。すると、触れてもいないのに

運命ポイントは
ココでした!

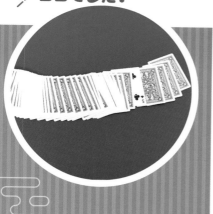

下に
Aが4枚と5のカードが
はじめから
並んでいた!

タネあかします

― 用意するもの ―
・トランプ

① Aを4枚と5を1枚取り出す

友達に見せる前に仕込んでおこう。5のマークはなんでもOK！

② 4枚のAは裏に、5は表にしていちばん下に重ねて入れる

この状態で箱に入れておくと、バレにくい！

ココが運命ポイント！

これでスタンバイ完了！

③ 友達にカードを選んで覚えてもらう

さりげなく上のほうのカードだけ広げて、下に仕込んである5枚は選ばれないようにしてね。

このいちばん下にAが4枚と5が重なっている

クローバーの5が相手に見えないように注意してクダサイ！

30

④ 下から1/3くらいをとり その上に選んだカードを重ねて ひとつの山にまとめる

さわっていないのに
アナタが選んだカードが
表になって出てきますヨ！

重ねる

このいちばん下に
Aが4枚と5が重なっている

友達がカードを置いたら、すぐに重ねてひとつに
まとめよう。すると、下のカード→選んだカード
→Aが4枚→5→その他のカードの順に重なる！

⑥ 5のカードから 5枚目のカードをめくる

このカードがアナタの
選んだカードですね？

さらに！

選んだカードが5枚目に現れ、
さらに間の4枚がすべてAとい
う二重の仕掛けにきっとびっくり
するはず！

⑤ トランプを広げて見せ 「あなたが選んだのは 5ですか？」と聞いてみる

選んだのは5ですか？

いや…違います……

当然、ここでは「違う」と否定されるネ。

間の4枚はすべて
Aになってました！

どーん！

マジシャンGO インタビュー

マジシャンになったのは運命です!

日テレ系「月曜から夜ふかし」で人気に火がついた、
中国人マジシャンのGOさん。
マジックへの熱い思いを聞かせてくれたよ。

小学生で運命の仕事を見つけた僕はめっちゃついてる!

僕がマジックを大好きになったのは、小学校4年生のとき。お母さんが買ってくれたマジックセットを使ったマジックを友達に見せたら、大ウケ。それからいろんなマジックを練習するようになりました。

まだYouTubeとかがない時代だったので、海外のレクチャーDVDを買って、何度も練習しました。そのうち、自分でもアイデアを考えるように。小学生のときには、すでにオリジナルのマジックを作っていました。

今でも、寝るとき以外はずっとマジックのことを考えているし、毎日練習を欠かしません。こんなに好きになるってことは、僕がマジシャンになるのは、はじめから運命だったんだと思います。

僕か

Profile

マジシャン GO

漢字で書くと「呉」。出身地は中国の首都、北京。
身長188cm、A型。人の近くで見せる「クロースアップマジック」を得意としている。趣味は旅行と映画鑑賞。ごはんのときも、寝るときも常にマジックのことを考えている、根っからのマジシャン。

**インスタも
フォローしてね!**
@go_magician

どちらもストーリーを考えて、演出していくものだから。

つらかったバイト時代
でもマジックへの
情熱は消えず……！

日本に来たのは、日本の大学に受かったからですが、そもそも日本の大学を受験したのは、『NARUTO』や『ポケットモンスター』、『名探偵コナン』などの日本のアニメが大好きだったからです。日本では、大好きなアニメがたくさん見られ

て本当に楽しい！

大学時代は東京の八王子に住んでいましたが、アルバイトは池袋のマジックバー。そこはマジシャンの給料がとっても安かったので、八王子から池袋の交通費だけで、その日稼いだお金が全部なくなってしまうような生活でした。苦しかったけど、それでも続けられたのは、本当にマジックが好きだから。マジックで世界中のみんなを笑顔にする夢をあきらめたくなかったんです。

日本での思い出

旅行が大好き！ 休みの日には、いろんなところに出かけています。

京都旅行へ。この日は少し寒かったですが、京都の文化に触れることができて、とても勉強になりました。

旅行で熱海に行ったときの写真です。晴れてて、とても気持ちよかったです！

テレビに出たのは
偶然なんかじゃなく
日々の努力の成果カナ？

テレビに出たきっかけは、街頭インタビュー。それがきっかけでマジックを披露したら、すごく喜んでもらえました。インタビュー自体は偶然だけど、日本に来て約10年間、ずっと頑張ってきて、その積み重ねがあったから、チャンスが巡ってきたときに対応できたんだと思います。

はじめてテレビ収録に呼んでも

マジシャンにいちばん近い職業は、映画監督だと思う

らったときは、すごく気楽な感じでした。それは誰も僕に期待してなかったから。でも今は、呼んでくださる人みんなが僕に期待してくださる。そんな中で90点を出すのは本当に難しいなと思います。毎回、絶対に気が抜けないです。

でも結局、緊張しなくなるためには、練習するしかないんですよね。1回やるのと、10回やるのと、100回やるのでは、経験値がまったく違う。結局、自信がないことをやるときに緊張するんですよ。100回練習したマジックは、きっと自信を持って披露できるようになっているはずです。

この本で紹介したマジックは、簡単なものばかりだから、1、2回練習すればお披露目できるものも。そこでまずは、マジックを好きになってもらえたらうれしいです。でも、マジックは奥が深いから、

みんなが「おもしろい」と思うレベルとなると、ワザをスムーズに見せられるだけじゃなく、ストーリーとして魅せられるトーク術も磨かないといけないので、2年くらいはかかるかもしれません。でもその頃になってくると、自信もついてきて、緊張もしなくなっていくのかなと思います。

ぜひ、いっぱい練習して、マジックの「不思議」と「おもしろい」を極め、「感動」を伝えていってほしいなと思います。僕と一緒に頑張りましょうネ!

> 繰り返し練習するうちに
> 自信をもって
> 披露できるようになります

「人前でマジックをやるのは緊張してしまってムリ!」という人がいるけど、僕だって今でも番組の収録前はめちゃくちゃ緊張します。

マジシャン GO の History - 歴史 -

1993年
中国・北京で生まれる。

2003年
小学校4年生のとき、母から買ってもらったマジックセットがきっかけでマジックにハマる。そのときのアイテムは「お札を通すペン」だった。

2012年
拓殖大学工学部に受かったことをきっかけに、来日。大学は高尾山駅から歩いて30分。途中に「いのしし注意」の看板があったとか。

2013年
大学2年生のとき、池袋のマジックバーで働きだす。はじめは給料も少なくて、ほぼタダ働き……。

2020年
蒲田でバイトしているときに、日テレ系「月曜から夜ふかし」で街頭インタビューをされる。

2021年〜
「月曜から夜ふかし」でマジックを披露。マツコ・デラックスさんと関ジャニ∞村上信五さんもびっくり! その後、「ポケモンの家あつまる?」、「オオカミ少年」、「笑点」、「踊る!さんま御殿!!」「中国語!ナビ」などのテレビ番組をはじめ、さまざまなメディアから声をかけられるように。

STAFF

編集・校正	小田切英史
撮影	山田智絵
動画撮影	杣山翔吾（TimberCreate）
デザイン	小椋由佳
構成・ライティング	上村絵美
イラスト	二平瑞樹

マジシャンGOのウケる！「運命マジック」タネあかします

著者	マジシャンGO
編集人	栃丸秀俊
発行人	倉次辰男
発行所	株式会社主婦と生活社
	〒104-8357　東京都中央区京橋3−5−7
	TEL　03−5579−9611（編集部）
	TEL　03−3563−5121（販売部）
	TEL　03−3563−5125（生産部）
	https://www.shufu.co.jp
製版所	東京カラーフォト・プロセス株式会社
印刷所	大日本印刷株式会社
製本所	共同製本株式会社

ISBN978-4-391-16039-0